MILE-END

L'OISEAU DE COLETTE

Les Éditions de la Pastèque
C.P. 55062 CSP Fairmount
Montréal (Québec) H2T 3E2
Téléphone: 514 627-1585
www.lapasteque.com

Design: Isabelle Arsenault et Kelly Hill
Infographie: Stéphane Ulrich
Révision: Joëlle Bouchard

Dépôt légal: 2e trimestre 2017
Bibliothèque et Archives nationales du Québec
Bibliothèque et Archives Canada
ISBN 978-2-89777-015-0
(Édition originale: ISBN 978-1-101-91759-6, Tundra Books, une division
de Random House of Canada, une compagnie de Penguin Random House)

La première édition de cet ouvrage est parue en mai 2017 chez Tundra Books
sous le titre *Colette's Lost Pet (A Mile End Kids Story)*

Publié avec l'accord de Rights People, Londres

Nous reconnaissons l'appui du gouvernement du Canada.
We acknowledge the support of the Government of Canada.

Conseil des arts   Canada Council
du Canada   for the Arts

Nous remercions le Conseil des arts du Canada de son soutien. L'an dernier, le Conseil a investi
153 millions de dollars pour mettre de l'art dans la vie des Canadiennes et des Canadiens de tout le pays.

We acknowledge the support of the Canada Council for the Arts, which last year invested
$153 million to bring the arts to Canadians throughout the country.

Nous reconnaissons l'aide financière du gouvernement du Québec par l'entremise
de la Société de développement des entreprises culturelles (SODEC) pour nos activités d'édition.

Gouvernement du Québec – Programme de crédit d'impôt pour l'édition de livres – Gestion SODEC.

Nous reconnaissons l'aide financière du gouvernement du Canada par l'entremise du Fonds du livre
pour nos activités d'édition.

Catalogage avant publication de Bibliothèque et Archives
nationales du Québec et Bibliothèque et Archives Canada

Arsenault, Isabelle, 1978–
    L'oiseau de Colette
    (La bande du Mile-End)
    Pour enfants de 4 à 8 ans.
    ISBN 978-2-89777-015-0
    1. Bandes dessinées. I. Titre.
PN6734.O47A77 2017   j741.5'971   C2017-940271-4

Imprimé au Canada

L'OISEAU DE COLETTE

Texte et illustrations
ISABELLE ARSENAULT

LA PASTÈQUE

Salut.

Hé!

Oh... allô!

Moi c'est
Albert.

Tom.

Colette.

Qu'est-ce
que tu fais?

Hum...
Eh bien,
euh...

Je...

Hé! Lili!

Aurais-tu vu l'oiseau
de Colette? C'est
une perruche.

Une perruche?
Ce n'est pas un oiseau
qu'on voit souvent par ici.
Elle est de quelle
couleur?

Eh bien...

Euh... Elle est bleue!

Avec un peu
de jaune dans
le cou.

Hé! Scott!

Aurais-tu vu l'oiseau de Colette?
C'est une perruche. Elle est bleue avec
un peu de jaune dans le cou.

Ah, et comment s'appelle-t-elle?

Eh bien...

Euh... Eli...

Elizabeth!
Comme la princesse.

Oh!
Et est-ce qu'elle a un
chant particulier?

Eh bien... euh...

Elle fait PRrrrrrr
Prrrr PrrrrrruiiiiiiiT!

Et elle parle
un peu, aussi.

Mais
seulement en
anglais.

Of course!

Trop mignon!
Je n'ai pas entendu ça,
mais je viens d'entendre
le chat de Berthe miauler.
Il est passé par ici,
il y a une minute...

Oh, oh!

Vite!
Chez Berthe!

Ne t'inquiète pas, Colette.
On va retrouver Lizbeth!

Elizabeth!

Hé! Berthe!

Aurais-tu vu l'oiseau de Colette?
C'est une perruche. Elle est bleue
avec un peu de jaune dans le cou,
elle s'appelle Elizabeth et quand
elle chante, elle fait PRrrrrrr
Prrrr PrrrrrruiiiiiiT!

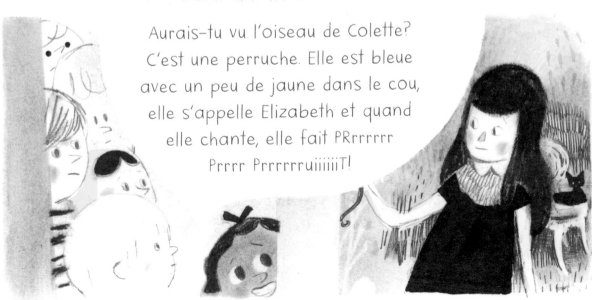

Je ne crois pas.
Est-ce que tu as
une photo?

Eh bien...

Euh...

Dommage que je
n'aie pas celle qu'on
a prise à...

hm, Hawaii.

Mais je peux
la dessiner!

Wow, quel oiseau!

Hé! On pourrait en faire une affiche?
Lukas a une imprimante, ça nous aiderait!

Bonne idée!

Allons-y!

Hé! Lukas!

Aurais-tu vu l'oiseau de Colette? C'est une perruche. Elle est bleue
avec un peu de jaune dans le cou. Elle s'appelle Elizabeth,
quand elle chante, ça fait PRrrrrr Prrrr PrrrrrruiiiiiT
et elle fait du SURF! Tu vois ce dessin?
Peux-tu nous aider à en faire
une affiche?

Montre-moi ça.
C'est sa taille réelle?

Eh bien... euh...

Oui, c'est à peu près ça,
il me semble.

Mais...

Elle a pris beaucoup de poids, ces derniers temps.

Elle a grossi, grossi...

puis grossi!

Alors nous avons dû trouver une plus grande cage

et puis, une plus grande maison.

Jusqu'à ce qu'elle devienne
<u>TROP GROSSE</u> pour
notre maison!

Mais elle avait alors la taille parfaite
pour que je grimpe dessus et qu'on
s'envole ensemble!

Alors on est parties
explorer le monde.

Je vous le dis, cette perruche
est VRAIMENT fabuleuse!

C'est la meilleure
compagne qu'on puisse
imaginer...

et c'est
LA MIENNE!

Colette!

Eh bien...
C'est d'accord!

Je vous
conterai le
reste plus
tard!

Trop hâte!

Puis demain,
on pourrait aller
explorer la
jungle!

Génial!
J'y serai!

Pour tous les enfants des villes qui illuminent les ruelles
de leur imagination débordante, à commencer par
Arnaud et Florent, mes deux gavroches à moi
et grande source d'inspiration.

Un merci particulier à mon agente et amie
Kirsten Hall, dont l'enthousiasme et l'intuition
m'ont guidée vers cette aventure.

À propos de l'auteure :

Isabelle Arsenault est une illustratrice dont le travail lui a valu plusieurs récompenses et une reconnaissance internationale. Elle signe avec *L'oiseau de Colette* son premier récit à titre d'auteure et illustratrice.

Ce livre est également le premier d'une série mettant en vedette les personnages de la bande du Mile-End. Chaque livre apportera de nouvelles aventures, d'autres couleurs et des univers propres à la personnalité de chacun.

Isabelle Arsenault vit et travaille dans le quartier Mile-End à Montréal avec son mari, un chat et deux enfants de ruelles.

De la même auteure à la Pastèque :

Fourchon – avec Kyo Maclear

Virginia Wolf – avec Kyo Maclear

Jane, le renard et moi – avec Fanny Britt

Alpha

Une berceuse en chiffons – avec Amy Novesky

Louis parmi les spectres – avec Fanny Britt

L'oiseau de Colette a été achevé d'imprimer en mars 2017 par l'imprimerie Friesens, au Manitoba, pour le compte de la Pastèque, éditeur de livres depuis 1998.

RUELLE CLARK